Giovanni Battista Pergol

La serva padrona

Due Intermezzi

Libretto
di Gennarantonio Federico

Prima rappresentazione:
Napoli, Teatro San Bartolomeo,
28 agosto 1733

Uraufführung:
Neapel, Teatro San Bartolomeo,
28. August 1733

First performance:
Naples, Teatro San Bartolomeo,
28th August 1733

Première représentation:
Naples, Teatro San Bartolomeo,
le 28 août 1733

Riduzione per canto e pianoforte
a cura di Mario Parenti (1960)

Klavierauszug
hrsg. von Mario Parenti (1960)

Vocal score
edited by Mario Parenti (1960)

Réduction pour chant et piano
établie par Mario Parenti (1960)

RICORDI

Grafica della copertina • *Cover design*: Giorgio Fioravanti, G&R Associati

Copyright © 2007 by CASA RICORDI S.r.l. - Milano

Catalogo completo delle edizioni in vendita, consultabile su:
All current editions in print can be found in our online catalogue at:
www.ricordi.it – www.ricordi.com – www.durand-salabert-eschig.com

CP 45390/05
ISMN 979-0-040-42390-4
(edizione in brossura • *paperbound edition*)

CP 45390/04
ISMN 979-0-041-37025-5
(edizione rilegata in tela e oro • *gold stamped cloth binding*)

Riassunto del libretto

Intermezzo primo. L'anziano e celibe Uberto è esasperato dalla cameriera Serpina e non riesce a trovare aiuto nel servo Vespone, che parla solo a gesti. Mentre si sta vestendo per uscire, protesta perchè la serva lo tratta senza rispetto. Si rifiuta di servirgli la cioccolata o lo obbliga a rinunziare a una passeggiata. In risposta, Serpina se la prende con Vespone, fino a schiaffeggiarlo perchè non la rispetta come una padrona. Uberto, pur di non dovere più sottostare alla serva, incarica Vespone di trovargli una moglie, magari brutta, ma sottomessa, così potrà cacciar via la serva divenuta insopportabile. Serpina dichiara che la sposa sarà lei: Uberto la chiama matta; ma quando ella comincia a descrivergli i propri meriti e a fargli notare la sua leggiadra figura, il padrone comincia a dubitare di sé.

Intermezzo secondo. Serpina traveste Vespone da soldato e lo nasconde in una stanza vicina. Uberto è nuovamente pronto per uscire, e questa volta Serpina non glielo vieta: è triste, e poiché egli è stanco di lei, ella ha deciso di accasarsi con un militare, il Capitan Tempesta, ossia Vespone travestito. Uberto, immaginando quale potrà essere la vita di lei accanto a un soldataccio collerico, s'impietosisce. O invece è amore? Serpina informa Uberto che il capitano la sposerà se avrà quattromila scudi di dote. Uberto non ha intenzione di sborsare una tale somma e Vespone finge collera e minacce. Serpina mostra di calmarlo e riferisce al padrone che il suo pretendente non la sposerà se non avrà la dote. Uberto tira un sospiro di sollievo. Ma il Capitano precisa anche che se non sarà lui stesso a sposare Serpina, allora dovrà essere Uberto a farlo, altrimenti lo farà a pezzi. Uberto si rassegna, non malvolentieri, a sposare Serpina, alla presenza del temuto Capitan Tempesta. Poi Serpina rivela l'inganno e Uberto fa buon viso a cattivo gioco: ormai è fatta, l'impegno è preso e Serpina da serva è diventata padrona.

Synopsis of the libretto

First Intermezzo. The elderly bachelor Uberto is exasperated by his maid Serpina; nor does he find any help in his servant Vespone, who is mute and communicates only with gestures. While he prepares to go out, he complains that she treats him with no respect. She refuses to serve him his chocolate and forces him to give up his plan to go out for a walk. In turn Serpina vents her irritation on Vespone, and even slaps him because he fails to treat her as his mistress. Uberto, resolved to succumb to her no longer, orders Vespone to find him a wife (even an ugly one, as long as she is submissive) so that he can send away Serpina, who has become insufferable. When Serpina retorts that she herself will be his bride, Uberto calls her mad. But he begins to have his doubts when she begins to describe her many merits and points out her graceful figure.

Second Intermezzo. Serpina dresses up Vespone as a soldier and hides him in the next room. Uberto is again ready to go out, but this time Serpina does not stop him. Sorrowfully she confesses that since he has tired of her she has agreed to marry Captain Tempesta, a rough soldier who is none other than Vespone in disguise. Uberto, imagining her future life in the company of such a ruffian, takes pity on her. Can it be love? Serpina tells Uberto that the captain will marry her provided that she has a dowry of four thousand *scudi*. When Uberto refuses to pay out such a sum, Vespone feigns anger and begins his threats. Serpina makes a show of calming him down and tells Uberto that her suitor refuses to marry her if she has no dowry; at which Uberto sighs in relief. But the Captain also insists that if he himself will not marry Serpina, then Uberto must, otherwise he will cut him into pieces. In the end Uberto resigns himself, not unwillingly, to marry Serpina in the presence of the fearful captain. When Serpina reveals the trick, Uberto resigns himself to his fate. He has committed himself and Serpina, from being a maid, has become a mistress.

Zusammenfassung des Librettos

Erstes Intermezzo. Den schon älteren ledigen Uberto bringt seine Dienerin Serpina zur Verzweiflung. Auch bei seinem Diener Vespone, der sich nur in der Gebärdensprache verständigen kann, findet er keine Unterstützung. Während er sich zum Ausgehen ankleidet, beschwert er sich, die Dienerin behandele ihn ohne den gebührenden Respekt. Sie weigert sich, ihm die Schokolade zu servieren und zwingt ihn, auf seinen Spaziergang zu verzichten. Serpina hingegen legt sich mit Vespone an, den sie schließlich sogar ohrfeigt, weil er sie nicht als eine Herrin respektiert. Um solch eine Dienerin möglichst rasch loszuwerden, beauftragt Uberto Vespone, eine Ehefrau für ihn zu finden, die auch hässlich sein dürfe, wenn sie nur gefügig sei. Dann könnte er die unerträglich gewordene Dienerin davonjagen. Serpina aber verkündet, dass sie selbst die Braut sein werde. Uberto erklärt sie für verrückt; doch als sie beginnt, ihm ihre Vorzüge zu beschreiben und ihm zeigt, wie hübsch sie ist, beginnt er, an sich zu zweifeln.

Zweites Intermezzo. Serpina verkleidet Vespone als Soldat und versteckt ihn in einem angrenzenden Zimmer. Uberto will wieder ausgehen, und diesmal verbietet Serpina es ihm nicht. Sie ist traurig, und weil Uberto sie loswerden will, hat sie beschlossen, sich mit einem Soldaten zu verheiraten, dem Capitano Tempesta, den der verkleidete Vespone darstellt. Uberto, der sich überlegt, was für ein Leben sie als die Frau eines cholerischen Soldaten haben wird, empfindet Mitleid mit ihr. Oder ist es Liebe? Serpina erklärt Uberto, dass der Capitano sie heiraten werde, wenn sie viertausend Scudi Mitgift hätte. Uberto hat nicht die Absicht, eine solche Summe herzugeben, und Vespone spielt nun den Wütenden und bedroht ihn. Serpina scheint ihn besänftigen zu wollen und sagt nun ihrem Herrn, ihr Zukünftiger werde sie ohne die Mitgift nicht heiraten. Uberto seufzt vor Erleichterung. Doch der Capitano stellt klar, wenn nicht er Serpina heiraten könne, müsse es Uberto tun, andernfalls werde er ihn in Stücke hauen. Uberto besinnt sich nun, offenbar gar nicht so ungern, und stimmt in Gegenwart des gefürchteten Capitano Tempesta der Heirat mit Serpina zu. Als Serpina den Betrug aufklärt, macht Uberto gute Miene zum bösen Spiel: nun ist es einmal so, er hat die Ehe versprochen: Serpina wird von der Dienerin zur Herrin.

Résumé du livret

Premier Intermezzo. Uberto, vieux garçon, est las de sa servante Serpina et ne trouve aucun soutien de la part de son valet muet Vespone. Pendant qu'il se prépare à sortir, il est énervé par sa servante qui le traite sans aucun respect. Elle refuse de lui servir une tasse de chocolat et enfin l'oblige à renoncer à sa promenade. En revanche, Serpina s'en prend à Vespone jusqu'au point de le gifler parce qu'il ne la respecte pas comme une maîtresse. Pour se libérer de la tyrannie de l'insupportable Serpina, Uberto charge Vespone de lui trouver une épouse, même laide, pourvu qu'elle soit soumise. Serpina s'offre d'épouser son maître, mais Uberto liquide l'idée comme folle. Mais sa servante commence à lui énumérer toutes ses qualités et à lui montrer sa gracieuse figure, les convictions du maître commencent à vaciller.

Deuxième Intermezzo. Serpina déguise Vespone en soldat et le cache dans une pièce adjacente. Uberto est à nouveau sur le point de sortir, mais cette fois-ci Serpina ne l'empêche pas. Elle est triste parce que Uberto est las d'elle. Elle a donc décidé de se marier avec un militaire, le capitaine Tempête, le serviteur Vespone déguisé. Uberto, préoccupé de l'avenir de Serpina près d'un soudard colérique, a pitié d'elle. Ou c'est de l'amour ? Serpina explique à son maître que le capitaine exige le paiement d'une dot de mariage de quatre mille écus. Uberto n'a aucune intention de débourser une telle somme, alors Vespone feint la colère et le menace. Serpina fait semblant de le calmer et dit à son maître que son prétendant ne l'épousera pas si elle n'a pas de dote. Uberto est soulagé. Mais le capitaine précise qu'il ne renoncera à Serpina et à la dot que si Uberto épouse lui-même Serpina, sinon il lui donnera une raclée. En présence du terrible Capitaine Tempête, Uberto accepte de bonne grâce à épouser Serpina. Enfin, Serpina révèle la ruse et Uberto fait contre mauvaise fortune bon cœur : les jeux sont faits, il s'est engagé. Ainsi, de servante, Serpina devient maîtresse.

Personaggi

SERPINA
soprano

UBERTO
basso

VESPONE, servo di Uberto
mimo

Indice dei pezzi

LA SERVA PADRONA

DI

G. B. PERGOLESI

INTERMEZZO PRIMO

CAMERA.

Uberto non interamente vestito, e Vespone di lui servo, poi Serpina.

INTRODUZIONE

RECITATIVO

UBERTO

REC.^{vo}

Quest'è per me dis_grazia, son tre o_re che aspet_to, e la mia ser_va por_

_tarmi il ciocco_la_to non fa gra_zia; ed i_o d'uscire ho_fret_ta. O flemma be_nedet_ta!

Or sì, che ve_do, che per esser sì buono con co_ste_i, la causa son di tutti i ma_li

(chiama Serpina vicino alla scena)   (a Vespone)

mie_i. Serpi_na, Serpi_na... vien doma_ni. E tu al_tro che fa_i? A che quie_to ne

sta_i come un baloc_co? Co_me? che di_ci? eh sciocco! vanne, rompi_ti presto il

4

col_lo, solle_ci_ta, ve_di che fa. Gran fatto! io m'ho cre_sciu_ta questa serva pic_ci_na, l'ho fatta di ca_

_rezze, l'ho tenu_ta co_me mia figlia fosse! Or ella ha preso per ciò tant'arro_ganza, fatta è sì super_

_bona, che alfin di ser_va di_ver_rà padro_na. Ma bi_so_gna ri_ solvermi in buon'o_ra...

SERPINA (a Vespone)

E quest'altro babbion ci è morto an_co_ra. L'hai fi_ni_ta? Ho bi_so_gno che tu mi

UBE.
SER.

sgridi? e pu_re io non sto comoda, ti dissi. Brava! E torna! se il padrone ha fretta, non l'ho

SER.

_desso. Quando? E vi par o_ra questa? È tempo ormai di dover de_si_na_re. Adunque? A_

_dunque? io già nol prepa_ra_i: voi di men ne fa_re_te, padron mio bel_lo, e ve ne chete_

UBE.

(Vespone ride)

_re_te. Vespo_ne, or che ho già preso il cioccolatto, dimmi: buon pro vi faccia e sa_ni_

SER.   UBE.

_tà. Di che ri_de quell' a_sino? Di me, ch'ho più flemma d'una bestia; ma io bestia non sa_

_rò, più flemma non avrò; il giogo scuote_rò e quel che non ho fatto alfin fa_rò.

45390

ARIA

UBERTO

ALLEGRO ASSAI

UBERTO

(a Serpina)

Sempre in contrasti   con te si sta,.......con te si sta,   e qua e là;   e su e giù;

e sì e no;   or questo ba _ _ _ sti, ba _ _ sti, ba _ sti;   fi _ nir si

25 2ª volta   (a Vespone)

può, fi _ nir si   può, fi _ nir si   può.   Mache ti pare? ah! mache ti pare? ah! Ho io a cre _

(a Serpina)

_ pare? Signor mio, no.   Ho io a cre_pa_re? Signor mio, no.   Sem _ pre, sempre, sempre in con_

SER.
_stone, che voglio uscir. Mi _ ra _ te. Non ne fa_te u_na buo_na, e poi Serpi_na è di po_co giu_

UBE. SER.
_dizio. Ma le_i che diami_ne vuol mai da' fat_ti miei? Non vo'che usciate a_desso, gli è mezzo

UBE.
dì, do_ve vo_lete an_da_re? An_da_te_vi a spo_glia_re. E il........ gran ma_lan_no

SER.
che mi fa_re_sti? Ohi_bò! non oc_corre al_tro, io vo' co_sì; non u_sci_re_te; io

UBE.
l'u_scio a chia_ve chiu_de_rò. Ma par_mi que_sta mas_si_ma im_per_ti_

SER. UBE.
_nen_za. Eh sì, so_na_te. Ser_pi_na, il sa_i, che rot_ta m'hai la testa?

ARIA

SERPINA

SERPINA

ALLEGRETTO

Stiz_zo_so, mio stiz_zo_so, voi fa_te il bo_rï_

_o_so, ma no, ma non vi può gio_va_re, ma

no, ma non vi può gio_va_re; bi_so_gna al mio di_vie_to star

che_to che_to, e non par_la_re, zit... zit...

Ser_pi_na vuol co_sì... zit... zit... Serpi_na vuol co_sì.

Recitativo

meravigliati, fammi de'scherni, chiamami asi_no_ne, dammi anche un mascel_lone, ch'io cheto mi sta_

(Uberto bacia la mano a Vespone)

SER.

UBE.

_rò, an_zi la man allor ti bacie_rò. Che fa... che fa_te? Sco_stati, mal_vagia, vattene, insolen_

_taccia, in ogni conto vo'fi_nir_la. Vespo_ne, in questo punto, in questo istan_te tro_vami u_na

moglie, e sia anche un'ar_pi_a, a suo dispetto io mi voglio acca_sare, così non dovrò stare a

SER.

questa mani_gol_da più sogget_to. Oh! qui vi ca_de l'a_si_no! Ca_sa_te_vi, che fate ben: l'ap_

Duetto

SERPINA E UBERTO

ALLEGRO

SERPINA

Lo conosco, lo co_ _nosco a quegli occhietti, a quegli oc_chietti furbi, ladri, ladri malignet_ti, che se ben voi di_te no, no, no, pur m'ac_cenna_no di sì, sì, sì, sì, sì; pur m'ac_ _cenna_no di sì.

UBERTO

Signo_ri_na, signo_ri_na, v'ingan_na_te, v'ingan_na_te;

13

SERPINA

45390

24

45390

45390

Fine del primo Intermezzo

INTERMEZZO SECONDO

CAMERA.

Serpina e Vespone in abito da soldato, poi Uberto vestito per uscire.

RECITATIVO

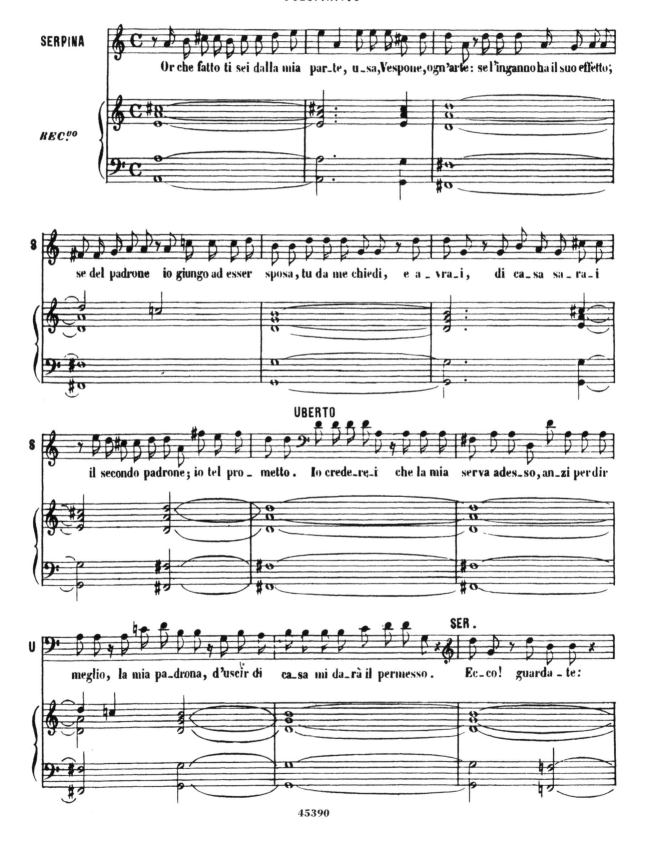

SERPINA

Or che fatto ti sei dalla mia par_te, u_sa, Vespone, ogn'arte: se l'inganno ha il suo effetto;

se del padrone io giungo ad esser sposa, tu da me chiedi, e a_vra_i, di ca_sa sa_ra_i

UBERTO

il secondo padrone; io tel pro_metto. Io crede_re_i che la mia serva ades_so, an_zi perdir

meglio, la mia pa_drona, d'uscir di ca_sa mi da_rà il permesso. Ec_co! guarda_te:

senza mia li_cenza pur si volle ve_stir. Or sì, che al sommo giunt'è sua imper_tinenza. Teme_

_ra_ria! e di nozze ri_chiedermi ebbe ardir. T'asconde_rai per o_ra in quel_la stan_za,

e a suo tempo u_sci_ra_i. Oh qui sta el_la; facciam nostro do_ver. Posso, o non

posso? vuo_le, o non vuol la mia padro_na bel_la?.. Eh, si_gnor, già per me fi_nito è il

gio_co, e più te_dio fra po_co per me non sen_ti_rà. Cred'io che no. Prende_rà moglie già.

UBE. SER.

Oh brutto no_me! E al no_me so_no i fat_ti cor_ri_spon_den_ti; e_gli è po_co flem_

UBE. SER. UBE. SER. UBE.

_ma_ti_co. Ma_le. An_zi è lu_na_ti_co. Peggio. Va presto in col_le_ra. Pes_si_

SER.

_mo. E quan_do poi è in_col_le_ri_to fa ro_vi_ne, scom_pi_gli, fra_

UBE. SER. UBE.

_cas_si, un vi_a vi_a. Ci an_de_rà mal la vo_stra si_gno_ri_a. Perchè? S'è

U

lei co_sì schi_ri_biz_zo_sa me_co, ed è ser_va; or pen_sa con lui es_sen_do

spo_sa. Senza dubbio il capitan Tem _ pesta in collera anderà, e lei di bastona_te una tempesta a_

SER.

UBE.

_vrà. A questo poi Ser_pi_na pen_se_rà. Me ne di_spia_ce_reb_be, al _

SER.

_fin del be_ne io ti volli, e tu il sa_i. Tant'obbliga_ta. In _ tanto at_tenda a conservar_si,

UBE.

go_da col_la sua sposa a_ma_ta, e di Serpi_na non si scordi af_fat_to. Ah tel perdoni il

ciel! l'esser tu trop_po bo_rï_ o _ sa ve_nir mi fè a tal at_to.

SERPINA

s'in_co_min_cia sì già pian pia_no sì s'in_co_min_cia a in_te_ne_

_rir.) **2** **LARGHETTO** A Serpi_na pen_se_

_re_te, pen_sere_te e di_rete:ah! po_veri_na,ah! pove_rina,poverina,poveri_na,ca_ra,

ca_ra un tem_po, un tem_po el_la mi fu, el_la mi fu.

ALLEGRO **3** (S'in_co_mincia,sì, già pian pia_no sì s'in_co_min_cia a in_te_ne_rir,

s'inco_mincia sì,   già pian pia_no sì   s'inco_min_cia a in_te_ne_rir.)

LARGHETTO

4 S'io poi fui im_per_ti_nente, imper_tinen_te   mi per_do_ni, mi perdoni;   mala_

_men_te mi gui_da_i,   lo ve_do,   lo ve_do sì,   lo ve_do...

ALLEGRO

5 sì. (Ei mi strin_ge per la ma_no,   me_glio il fat_to

34

non può gir, non può gir non può gir.)

RECITATIVO

UBERTO

(Ah! quanto mi sa male di tal risoluzione, ma n'ho colpa io.)

REC.^{vo}

(Di' pur fra te che vuoi, che ha da riuscir la cosa a modo mio.) Orsù, non dubitare che di te mai non mi saprò scordare. Vuol vedere il mio sposo? Sì, l'avrei caro. Io manderò per lui, giù in strada ei si trattien. Va. Con licenza. Or indovina chi sarà co-

45390

_stu_i! For_se la pe_ni_ten_za fa_rà co_sì di quant'ella ha fat_to al pa_dro_ne; s'è ver, co_me mi di_ce, un tal ma_ri_to la ter_rà fra la ter_ra ed il ba_sto_ne. Oh po_ve_ret_ta le_i! Per al_tro io pen_se_re_i... ma... el_la è ser_va.... ma il pri_mo non sa_re_sti.... dun_que la spo_se_re_sti?... Basta... oh! no, no, non

ARIA

UBERTO

TEMPO GIUSTO

UBERTO

Son im_bro_glia_to io già, son im_broglia_to io

già, son imbro_glia_to io già, ho un cer_to che nel co_re che dir per me non

so, non so s'è a_mo_re, s'è a_mo_re o s'è pie_ _

40

D.C. 𝄋 sino al Fine

RECITATIVO

(esce Serpina con Vespone in abito da soldato)

SERPINA

REC.vo

Favorisca, signor, passi. Oh padrona! È questi? Quest'è desso. Oh brutta co_sa! veramente ha una faccia tempe_sto_sa: e co_sì, caro il ca_pi_tan Tempesta, sì spo_se_rà già questa mia ra_gaz_za? o ben n'è già con_ten_to? o ben

(Vespone accenna di sì)

non vi ha diffi_coltà? o ben... E_gli mi pare ch'abbia poche pa_ro_le. An_zi po_

(Vespone fa cenni di minacciar Uberto)

detto?..Sì, signo_re.Eh! non s'in_comodi, che giacchè per me vuol così il de_stino, or io la spose_

_rò. Mi dia la destra in sua presen_za. Sì. Viva il padro_ne. Va ben co_sì? E

(Vespone si leva i mustacchi)

viva an_cor Vespo_ne. Ah ri_bal_do! Tu se_i? e tal in_gan_no...Lascia_mi.

Oh! non oc_cor_re più strepi_tar, ti_son già spo_sa, il sa_i. È ver, fatta me

l'hai; ti ven_ne buona. E di ser_va diven_ni io già padro_na.

Duetto

SERPINA E· UBERTO

ALLEGRO MODERATO

SERPINA

Per te ho io nel co_re il

mar_tel_lin d'amore che mi per_cuote ognor, che mi per_cuote o_ gnor, che mi percuote o_

_gnor, che mi percuo_te o _ gnor.

UBERTO

Mi sta per te nel core con un tamburo amore, e batte forte o_

D.C. 𝄇 sino al Fine

FINALE

54

45390

FINE